어리바리 나의 출판일기

－'창업지원금에서 홈텍스 정산까지'

머리말

　작년 말 그야말로 '뭐라도 해야 먹고 살지 않나'하는 생각에 별 생각도 없이 골라잡은게 '출판'이었다. 이런 말이 대부분의 출판인들에게 실례가 되는줄은 알지만 아무튼 당시 나는 근근이 , 어쩌면 간신히 살던 때라 일단은 목돈을 주는 창업지원금이 탐났고 그걸로 몇 달 버티면서 기회를 노리자, 라는 심리였다.

　요약하면 창업지원금에 눈멀어서 시작한 출판이 어쩌다 보니 계속되고 있다. 그렇다고 내가 출판으로 큰돈을 벌거나 대단한 명성을 얻은 것도 아니다. 이런 글은 대부분이 그 업계에서 어느 정도의 괄목할 성공을 거둔 뒤 쓰게 마련인데 나는 조금 당겨 쓰기로 한다. 어쩌다 '대박'이라도 나는 날엔 나의 이런 '어리바리한 감

성'이 휘발될 수도 있으므로...

사람은 누구나 배운 도둑질을 하며 살아간다는 게 내 생각인데, 내게 책은 늦게까지 내 곁을 지켜준 막역한 친구 같은 애증의 관계였다. 좀 늦게 들어간 대학원과정에서 눈도 침침한데 깨 알같은 글씨를 읽을 때마다 짜증이 났지만 그 과정을 마치고 석사학위를 받을 땐 조금은 보람을 느끼기도 한 거 같다. 계속 학문의 길을 가려 하였지만 이런 저런 여건이 안돼서 중간에 놔버린 이후 오랜 공백기를 거쳐 다시 책을 접하였고 그러다 지금의 1인 출판까지 오게 되었다.

책 몇 권 냈다고 출판을 아는 것처럼 쓸수는 없다. 아직도 세금 관련은 모르는 부분이 허다하다. 그럼에도 이 책을 기획한 것은 책상물림들이 할 수 있는 그나마 '진입장벽'이 낮은 업

종이라는 것이다. 그 이후 돈을 얼마나 버는가
는 개인의 역량과 운에 따르겠지만...

참고로 속표지는 저자의 것이고 나머지 이미
지는 대부분 google에서 가져왔음을 밝힌다.

지은이

박순영

소설가/1인출판 <로맹>대표/전 방송작가

소설집/응언의 사랑/페이크/흐린날의달리기/엑셀

독서에세이 / 연애보다 서툰 나의 독서일기

영화에세이/ 영화에세이

사회심리학/재혼하면 행복할까 개정판, 공저

예술에세이/낭만주의는 페시미즘이다

대학과 대학원에서 영어/ 비교문화 전공

차례

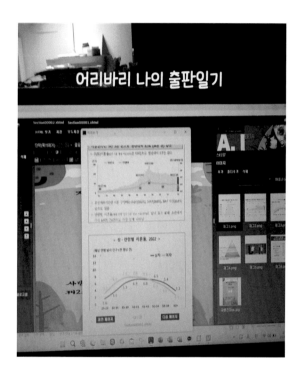

1. 창업지원금을 노리고

①바닥난 잔고

언제부턴가 연말이 되면 단골? 운세 방에 들어가서 복채를 조금 내고 신년 운세를 보곤 하는 습관이 생겼다.

2022년 말, 운세를 봐준 역학자의 말이 '극심한 생활고'에 시달릴 것이라 하였고 이런저런 일들로 결국은 비상금을 다 날리고 2023 하반기는 거의 거지꼴로 살다시피 하였다. 간신히 연명만 하면서.

굶는 것보다 더 무서운 건 신용 credit사회에서 신용을 잃을지 모른다는 불안감이었다. 그래서 살고있는 집도 내놨지만 요즘 집 팔기는 정말 하늘에서 별따다 달을 만드는 것보다도 훨씬 어려운 일이다.

그렇게 시름의 나날을 보내는데 어느 날 오랜 친구 하나가 '너 집 팔릴 때까지 쓸 돈 있어?'라고 물어왔다. 당연히 있을 리가 없던 내게 '그럼 소상공인 신용대출이란 게 있는데'라는 말에 나는 고개를 절레절레 저었다.

우선은 소상공인이라는 말 자체가 남의 나라 말 같기만 하였다.

거의 평생을 책상물림을 해온 내가 장사는 무슨, 이라는 생각이 앞섰기 때문이다. 하지만 의식의 한편에서는 '뭐라도 해 임마!'라는 외침이 들려왔다.

② 1인 출판?

'1인 출판도 소상공인인가?" 라는 말이 내 입에서 거의 무의식적으로 튀어나오자 친구는 '출판?'하고 낯설어 하였다.

'처음에 친구가 창업금 이야기를 하였을 때 제일 먼저 떠오른 건 동대문 시장에 가서 옷을 사입해다 파는 것이었지만 눈썰미라고는 젬병인 내가 과연 그 일에 흥미를 붙이고 할 수 있을까? 라는 회의가 들었고 그래도 틈틈이 접하는게 책이다 보니 자연스레 책이 '얻어걸린 셈'이었다.

'뭘 하든 창업금만 받으면 되잖아'라고 하자 친구는 어이없어 하면서도 '뭘 하든'이라며 맞장구를 쳤다.

요즘 안 그래도 1인 창업을 하는 이들이 부쩍

늘어났다는데 '나도 한번 해봐?'라는 마음이 들면서 그럼 최소한 '백수 탈출'은 하는 게 아닌가 하는 생각이 들었다.

약간의 방송일과 번역, 소설등단, 학위과정을 빼면 이 나이가 되도록 뭐 하나 제대로 돈을 벌거나 사회적 '포지션'같은 것과는 무관하게 살아온 내가 얼결에 이렇게 하루 아침에 'ceo'가 된다는게 우습기도 하였지만 급한데 찬밥 더운밥 가릴 처지도 아니었다.

이렇게 나의 출판일기는 시작되었다.

2.출판사 등록

①이름짓기

이제 업종은 일단 '출판'으로 정했는데 '출판사 아무나 하는거?'라는 생각이 들었다. 출판사 근무 경험도 없고 해본 거라고는 대학원 때 엉터리 대학신문 편집을 해본 게 다인 나로서는 그저 막막하기만 하였다. 하지만 '신용'을 잃는 것 보다야 하다가 실패하는 게 낫지,라는 생각 사이에서 며칠이 흘렀다.

그러고 있는데 그 친구가 전화해서 '지금 잠깐 갈테니 구청 갈 준비하고 있어'라고 통보를 하였다 . ''조금만 더 생각해보고'라고 하자 ' 먹을 쌀이 있나 보네'라며 비아냥대길래 '에라 모르겠다. 와' 하고는 이름 이름...뭐라고 이름을 짓지?하다가 내 포털 까페 이름에서 앞자리 두

자리를 따면 어떨까 싶었다. 해서 <로맹>이라 하자, 라고 생각하였다. 겹치는 이름은 안된다고 하였지만 어디서 그걸 조회하는지조차 몰랐다.

프랑스 문학에 관심 있는 사람이라면 이 두 글자가 의미하는 바를 쉽게 간파할 수 있다. 바로 '로맹가리'의 앞 두 자인 것이다.

그의 <새들은 페루에 가서 죽다>단편집에 수록된 <벽>을 꽤나 인상 깊게 읽은 내게는 마치 준비된듯한 그런 이름이었다.

그렇게 이름부터 짓고 나서 세수를 하는데 친구가 들이닥쳐 나는 물기도 채 닦지 않은채 구청으로 가게 되었다.

로맹가리 1914-1980

②껌도 아닌 출판사 등록

공무원이 세계란 특히 백수에게는 후덜덜한
곳일 수밖에 없었다. 웅장한 구청 건물이 주는

위압감부터 지상 지하 주차장 가득찬 고급차들....다들 부자구나,하고 볼멘 소리를 하면서 '문화체육과'로 올라갔다.

그렇게 들어서자 사람 좋아보이는 한 중년 직원이 '어떻게 오셨나요?'라고 물었다.

'집에서도 출판사 할 수있어요?'라고 묻자 '그럼요'라고 하였다. 해서 웹에서 뒤진 서류를 내밀자 직원은 빛의 속도로 복사를 하고는 '다됐습니다'라고 하였다. 그리고는 2,3일내로 연락줄테니 허가증을 받으러 오라고 하였다.

'네 네'만 연발하면서 나와 친구는 해당 부서를 나와 쾌재를 불렀다. '껌도 아니네'라며...무엇보다 굳이 사무실 임대를 하지 않아도 할 수 있는 것이 1인 출판이라는게 마음에 들었고 다행이었다.

생존이 불가할 지경의 바닥난 잔고로 어디가서 사무실을 낸단 말인가. 어부지리격이지만 이렇게 나는 유행처럼 번지고 있는 '1인 창업자'로 서서히 올겨 가고 있었다.

그리고는 정말 이틀 후쯤 구청에서 허가가 떨어졌으니 오라는 문자를 받고 휙 달려가서 등록비를 물고 옆 세무서에 가서 그 자리에서 사업자 등록을 하고 등록증을 받았다. 그때 세무사가 하던 말이 '온라인 거래 하실 건가요?'라고 해서 그게 뭔지도 모르고 '네'라고 했더니 그럼 추후 서류 보강해서 구청 해당 부서에 가서 신고를 또 하라고 한다. 나중에 알게 된 바로는 내게는 해당이 안되었다. 저런 경우는 이른바 내 홈페이지나 스마트 스토어에 내가 내 계좌를 띄우고 직접 물건을 팔 때 해당된다. 나의 경우는 대형서점과 플랫폼만을 상대로 하기 때문에 해당이 안되었다.

아무튼 그렇게 직원은 등록증을 내주었고 드디어 607-로 시작되는 사업자 등록증을 받았다.

'축하해 박사장'이라며 운전하던 친구가 놀려대기 시작했지만 틀린 말도 아니고 이제 엄연한 ceo가 되었기에 '음, 회사를 키울 일만 남았군'하며 호기롭게 근사한 레스토랑으로 가서 한 끼 해결하려 하였지만 '이제 정말 필요한 걸 해야지'라는 친구의 말에 정신이 번쩍 들었다. 아 참, 출판이 문제가 아니고 집이 나갈 때까지 버틸 자금, 창업지원금을 타려고 이 짓을 한 거지...라는 .

③고난의 창업지원금

소상공인에게 저리로 월 1000부터 ,5년거치 대출을 해주는 창업지원금을 받기까지는 그야말로 고난과 수모의 연속이었다.

처음엔 '가면 다 해주는'줄 알고 갔다가 '혼쭐'이 나고 말았다.

지금 생각하면 내 생의 은인인 '상담사'분의 첫 인상은 완전 오랑우탄이었다. 가슴만 탕탕 치면 영낙없는.

간단한 구비서류를 내밀고 '한 5분이면 되겠지'했던 게 30여분이 넘어서야 , 아니 거의 한 시간을 끌고야 결정이 났다.

'돈 얼마나 벌거라고 생각해요?'라는 온기라고는 전혀 없는 싸늘한 물음에 나는 덜덜 떨며 '월500에서 1000'이라고 소설을 썼지만 그분의 입가에는 조소만 번져갔다. 안되나보다...죽으라는 팔자구나...하면서 거의 포기할 즈음 '이제 등록한 지 며칠 안됐고 매출도 없으니 1000밖에 안돼!'라며 툴툴대던 그분의 모습이 아직도 눈에 선하다.

'돈 탔어...돈이다!'라며 친구와 하이파이브라도 할 기세로 서울신용보증재단 지점을 나섰다.

마치 꼴찌로 합격한 그런 기분이었다. 이제 나머지 서류만 준비하고 인터넷 강의만 수료하면 돈이 입금되는 줄 알았다. 상담사가 지시한 대로 근처 은행에 가서 관련 업무를 보고 집에 오는데 겨울 하늘이 맑고 밝게 느껴졌다.

그리고는 사나흘 후, 성탄이 지난 직후 나는 's과정'이라는 보증재단 직원이 전화를 받았다. '이게요....요즘 창업지원금 브로커가 많아서 실사를 해야 합니다'라는 말에 나는 하늘이 노래졌다. 다 된 게 아니었다. 아니면, 상담사 차원에서 결정난 일을 위에서 재고하겠다는 뜻이었다. 이게 또 뭔가...그러면서 그가 덧붙인 말이 '그래도 신용점수가 좋으셔서...'라는 것이었다. 그때만 해도 상위 15% 안에 드는 신용점수여서 희망을 가져보라는 뜻이었다. 그 말인즉슨 '안될 수도 있다'는 뜻이기도 했다.

잔뜩 부풀어오른 꿈이 물거품이 되려 하자 마음은 오히려 홀가분하고 냉정해지는 기분이었다. 그래, 장렬하게 굶어죽자!

그리고는 해를 넘겨 신년 벽두가 돼도, 약속한 실사 시기가 돼도 연락이 없어서 내가 신용보증재단 홈페이지에 비난 글을 올렸다. 이건 뭐 다 된것처럼 하고는 또다시 트는 모양새다 어떻다...하고는 관할 지점에 전화까지 했더니 '돈이 급하세요?'라는 나이 지긋한 직원이 말하면서 '빨리 처리하라고 할게요'라고 덧붙였다.

그 순간 얼굴이 뜨거워졌다. 돈 1000이 크다고 하기엔 돈 가치가 너무도 없는 세상에서 그걸 받지 못해 안달 난 모습이라니...하면서 나는 자괴의 늪으로 빠져들어 갔다.

그리고는 다음날, 실사를 나온다는 연락을 받고는 책이며 이런저런 증빙서류, 출간계획서 등을 한군데로 몰았다. 그렇게 기다리고 있는데도 초인종은 울리지 않았고 또 틀어졌나보다 하고 문이나 열어보자 하는데 '문 열지 마요!'라고 누군가 소리쳤다. '내 집 문도 내가 못 여나'하고 빼꼼 고개를 내밀자 어디선가 분명 본 듯한 중년 남자가 우리 집 현관문을 사진찍고 있는 게 아닌가. 이런 사행활 침해가! 하고 보니 분명 본 사람이었다. 그를 안으로 들이면서 '제가 혹시 뵌적이 있든가요?'라고 했더니 '내가 상담했잖아!'라는 대답이 돌아왔다. '아, 그 오랑우탄이다!'라고 기억이 되살아나며 괜히 일이 잘 풀릴 거 같다는 생각이 들었다.

그는 작업현장 (죄다 꾸민 것)사진을 몇장 찍고 또 서류 하나를 내밀더니 '여기 여기 사인해'라며 반말을 해댔다. '민증 까봐?'라는 생각이 들었지만 그래도 그런 그가 왠지 싫지 않고 아군처럼 느껴졌다. 모르긴 해도 오랑우탄 수준에서 결정난 걸 s 과장이 튼 거 같았다. 다른 것도 아닌 책을 팔아서 대출금을 갚겠다는 것도 불가능해 보였을테고 무엇보다 등록한 지 사흘 만에 가서 창업금 달라고 한게 '브로커'의 심을 산 거 같았다.

그렇게 형식적인 실사를 마치고 , 출간 계획서를 들이밀며 내 나름으로 준비한 '포부며 계획'을 말했더니 상담사가 귀담아 듣는 눈치여서 될거 같다라는 생각이 들었고 하루 지나고 다 저녁이 돼서 s 과장의 전화를 받았다. 전액 대출이 승인됐으니 은행 가서 나머지 처리하라는.

아직은 굶어 죽을 때가 아닌가 보다 하고 나는 다음날 은행 업무가 시작되는 동시에 은행으로 튀어 들어갔다. 담당 직원이 컴퓨터 모니터를 힐끔하더니 '오늘 처리해드릴게요'라고 했다. 은행도 형식적이나마 '승인과정'이 있어서 며칠 걸린다고 알고 있었는데 과정에서 하도 푸시를 해선지 아마도 비고란에 '이 여자는 빨리 처리해야 함'이라고 보증재단에서 내려 보낸거 같았다 (순전히내 상상임). 해서 당일 보증료 29만원을 제외한 구백 얼마를 사업자 통장에 넣고 나는 헤실대며 은행을 나섰다.

문제는 그때부터였다.

3. 원고

①브런치 글

나는 카카오 브런치스토리 작가다. 이 경위는 나중에 밝힐 기회가 있으리라 생각하고, 호기롭게 1인 출판을 떠올린 것도 어쩌면 브런치에 쟁여놓은 원고가 있기 때문이었고 투고해서 책이 된 경우가 그닥 없기 때문에 거기서 오는 피로감도 한 몫을 하였다. 내 글을 내가 내자, 라는 심리가 많이 작용한 것이다.

그렇게 해서 나는 내가 써둔 브런치 글을 뒤적였다. 참고로 브런치 작가는 보통 시작한 지 한달 쯤 되면 수백의 팔로워를 거느린다. 나는 햇수로 2년인데 이제 150명이다. 그만큼 인기 없는 글장이라는 것이다. 읽지도 않는 짧은 소설이나 허접한 단상, 그리고 가끔 독서, 영화리뷰 정도를 올리는 게 다이니 그럴 만도 하다. 다시말해 사는데 도움이 되는 실용저인 글이나 재테크에 일조하는 글이나 곱디 고운 에세이도 아닌 뜬구름 잡는 이야기만 줄창 해대고 있으니 사람이 붙겠는가..하지만 이제 그러려니 하고 마음을 비운 상태다.

어쨌든 그렇게 해서 나는 내 글로 출판사 <로맹>의 첫책을 내기로 하고 브런치에 올린 짧은 소설을 추려보았다. 그전에 타 출판사에서 그런 형식으로 e북을 내본 터라 그리 낯설지 않다는 게 그 이유가 되기도 하였다.

그 작업을 두 달 정도 잡았다. 종이책은 보통 1000 정도 든다고 해서 엄두도 내지 못하고 있었고 대신 소소하게 만들 수 있다는 전자책 위주로 나갈 생각이었는데 전자책 노하우가 전혀 없는 상태여서 길게 잡은 것이다.

e북 이야기는 잠시 후에 하기로 하고, 나의 브런치 소설이라는게 희한하다면 희한한 글들이다. 굳이 이름을 붙이자면 '에세이 소설'정도 되는데 그러기엔 너무나 '비 에세이적'이라는 것이다.

주로 연애 코드를 사용해 그 안에 복잡다단한 인간과 관계의 속성을 담아내는데 쓰는 방식은 짧은 글을 단시간에 휘갈기는 스타일이다. 이렇게 말하면 천재 아닌가, 싶기도 하겠지만 그건 전혀 아니고 , 과욕부리지 않고 내가 하고자 하는 이야기가 어느 정도 충족됐다 판단하면 종결하는 식이라는 뜻이다.

그렇게 이루어진 원고지 20-30매 내외의 글들을 모아서 나는 <로맹>의 첫책을 준비했다.

②공저

전자책은 툴과 약간의 기능만 익히면 된다는 말에 느긋하게 뒤로 미루고 또 다른 원고를 준비했다. 지인이 쓴 <재혼하면 행복할까>초판의 타 출판사의 판권이 소멸돼서 개정판을 내가 낼 수 있다는 말에, 아니, 그 제목에 혹해서 작년 여름 그러니까 2023년 여름에 땀 흘려가며 개작을 했었다. 그렇게 공저가 된 개정판을 여기저기 투고를 해보았지만 답은 오지 않았고 두어 군데서 '칼라가 맞지 않아 부득이...'라는 거절의 답문을 받았을 뿐이다. 한여름에 삐질삐질 땀 흘려가며 한 작업이 도루묵이 돼 버려서 허탈해 하던 기억이 났다.

그래, 이 글을 이번에 내 출판사에서 내자,라는 생각이 들어 그 글을 또 손보기 시작하였다. 여름에 쓴 것에서 또 첨삭을 하고 뒷부분에 관련 짧은 소설을 첨부해서 확 달라진 개정판을 썼다.

우리 사회 이혼, 사별 등으로 재혼 시장에

흘러들어온 '홀몸'들에 관한 이야기와 요즘 불같이 일고 있는 동거 열풍에 관한 이야기가 주된 내용이었다. 아마도 이 책이 '구원투수'가 돼 줄 것이라는 예감 속에 정말 열심히 작업을 하였다. 이걸로 건물 사나? 하고 미래 건물주의 꿈을 잠시 꾸기도 하였지만, 망하지만 않는다면, 으로 그 꿈을 조금 축소하였다.

그 외 또 다른 짧은 소설집 하나를 얇은 분량으로 준비하고 드디어 나는 e북과 마주하게

되었다. 까짓거, 글도 쓰는데 그까짓 기능 몇가
지 익히지 못하랴 싶은 근거 없는 자신감에 가
득차서...

4. 악마의 e북 만들기

내가 전자책을 접하게 된 계기는 아주 단순하다. 배송 기다릴 필요 없이 종이책보다 싼 값으로 읽을 수 있다는 이유에서였다. 언젠가부터 책도 '저가순'으로 읽는 '기이한' 습관도 한몫했다.

워낙 기계치인 나는, 돈만 지불하고 다운 받는 걸 못하면 어쩌나, 다운받고도 읽지를 못하면 어쩌나, 했지만 하라는대로 하면 다 읽울 수 있었고 종이책처럼 다양한 메모도 가능하다는 걸 뒤늦게 알았다. 그리고 늘 pc로 다운을 받아서 읽었으므로 폰은 따로 돈을 내야 하는 줄 알았다는 여담을 밝힌다.

①이북스타일리스트 설치

이제 원고도 준비되었고 e 북 프로그램만 깔면 반은 했다는 생각에 나는 여기저기 웹을 뒤져 보았다. 흔히들 아는 시길이나 인디자인은 어느 정도 디자인이나 컴을 만지는 사람들이 한다길래 '쌩초보도 한다'는 '이북스타일리스트'를 선택해 당분간 그것으로 제작을 하기로 하였다. 그리고는 또 검색 끝에 한국의 '펜립'에서 무료 다운을 받게 해놨다는 걸 읽고는 '이거 진짜 껌이잖아' 하고는 그후 5시간을 헤맸다.

'이북스타일리스트'를 작동시키려면 연결 프로그램으로 어도브가 깔려있어야 하는데 그 부분을 휘뚜루마뚜루 넘겨버린 것이다. 그렇게 해서 아무리 해도 설치가 안 되는 프로그램을 5시간에 걸쳐 하다 보니 '안되보다'하는 생각이 또다시 스멀스멀 밀려왔다. '내 주제에 무슨'이라며 나의 자존감은 곤두박질을 쳤다.

그래도 혹시 모른다는 생각에 s전자 고객센터 당직자와 연결돼서 관련 문의를 하였더니 '이거 어도브가 있어야 하네. 찾아서 까세요'라고 하였다. '좀 깔아주지..'하고는 펜립에 전화를 했더니 ' 메뉴얼대로 하심 됩니다. 어도브가 있어야 해요'라는 같은 답이 돌아왔다.

이번에 안되면 포기한다는 식으로, 다시 펜립에 들어가 차근차근 어도브부터 깔았는데 이게 실행이 되지 않았다. 알고 보니,, 내가 한 짓은 '다운로드'였고 '설치'를 안했던 것이다. 해서 혹시 이걸 하며? 하는 마지막 희망을 걸고 설치를 끝내고 이북스타일리스트를 깔아 감으로 어도브에 연결해서 드디어 성공하였다.

  3,4분의 예열을 거쳐 드디어 비번을 누르고
로그인에 성공, 활짝 열린 이북스타일리스트를
마주하게 되었다. 여기서 하라는대로 하면 되는
거지? 껌이네 뭐...지난 시행착오와 실패는 까맣
게 잊고 나는 또 껌을 씹기 시작하였다.

  그리고 나서 보름여를 끙끙대야 했다는 말은
많은 부분을 상상하게 해줄 것이다.
  일단 한글 문서를 불러오는 것부터가 문제였
다. 내 나름 직관적으로 한다는 게 먹히질 않았

고 목차니 섹션이니 개념이 잡히지 않았고 하이라이트는 스타일링 설정이었다. 또다시 나의 자존감은 바닥을 쳤고 며칠은 노트북을 켜지도 않았다.

그 순간 나 하나 믿고, 나의 미래를 믿고 창업지원금을 승인해준 관계자들이 떠오르면서 '이건 도리가 아니지'라는 생각에 이북스타일리스트를 다시 마주 했다. 그렇게 하루에 한가지씩 익히기로 하고, 첫날은 한글 화면 불러오기를 해보았다. 여러 번의 시행착오 끝에 한글 문서 쓰던 방식으로 모두 선택, 복사, 붙이기를 하였더니 편집창 가득 원문이 옮겨져 왔다. 그렇게 나의 이북스타일리스트 익히기는 새로운 국면에 접어들었다. 이후에도 섹션이니 목차의 개념을 익히는데 머리를 박박 긁어대야 했고 행간 벌리기, url 연결하기에서 또 버벅댔지만 그래도 찬찬히 하다 보니 얼추 기본은 하게 되었다. 그렇게 해서 나의 첫 책 <응언의 사랑>

에 이어 <페이크> 그리고 위에서 공저로 썼다
는 개정판 <재혼하면 행복할까 개정판>이 전
자책으로 나올 수 있었다.

② e북 내보내기

이렇게 보름 이상 걸친 이북스타일리스트와의
싸움과 화해를 거듭하면서 드디어 전자책 편집
이 마무리되었다. 마지막에 'e북 내보내기'과정
이 있는데 이걸 무사통과해서 유통사 뷰어에서
정상 실행되면 되는 것이었다.
가슴이 두근거렸다. 오류라도 나는 날엔 안
그래도 주먹구구식으로 익힌 모든게 물거품이
된다는 생각 뿐이었다. 그리고는 첫 책 <응언
의 사랑>을 내보기 해보았다...2,3초...그리고는
'오류 없음'으로 뜨던 순간을 나는 아직도 잊지
못한다. 내가 해냈단 말인가 정말? 이란 의문이
계속 이어졌다. 그래도 혹시 모른다는 생각에

이미 컴에 깔려 있는 유통사 (서점)의 e북 뷰어에 내가 제작한 파일을 넣어 실행해보았더니 여느 전자책들처럼 그렇게 실행이 되었다. 아, 이거구나 e북이란 게....

이래서 'e북은 고약하다'고들 하는구나, 하면서 이제 뭘 해야 되지? 하다가 웹에서 읽은 isbn 신청이 떠올랐다. 제아무리 명저를 내도 국제표준도서번호가 없으면 판매행위를 할 수 없기에 책 장사를 하려면 이 번호는 필수였다. 국립중앙도서관   서지정보유통지원시스템에서 한다고 돼있어서 국립도서관을 들어가 보았으나 쉽게 눈에 들어오지 않아, 서지정보유통지원시스템을 그대로 검색했더니 금방 떴다. 거기서 하라는대로 일단 발행자번호를 부여받고 그 뒤에 그걸로 isbn을 받았다.

그래도 isbn받기는 이북스타일리스트에 비하면 그야말로 '껌'이었다. 하지만 이후 한 두 번 수정요청을 받은 적이 있다. 판권에 적힌 출판일과 isbn신청서의 출판 일자가 다르다거나, 복수의 저자일 경우 추가 창을 열어서 기재한다거나 하는 걸 몰랐기 때문이다.

어쨌든 이제 남은 것은 장사할 곳과 계약을 하는 것, 즉 대형유통사를 개인이 상대해야 한다는 '중차대한 과정'이 기다리고 있었다.

5. e북 거래 트기

예전 광화문에 있는 교보문고는 나의 단골 약
속장소였다. 나뿐만이겠는가. 만날 곳이 그다지
많지 않은 강북의 인기 있는 핫플레이스라고
할수 있다. 지금이야 온라인 주문이 대세여서
오프라인 책 구매를 할 필요가 없어졌지만 그
래도 가끔 그 앞을 지나가노라면 내 청춘기가
섬광츠럼 스쳐가는 걸 느끼게 된다.

그렇게 낭만의 공간과 이제는 거래를 터야
한다는 것은 내게는 상당한 부담으로 와닿았다.
그냥 대행사에 맡겨? 라는 생각이 스쳤지만 그
럴 경우 온전한 출판사가 되기 힘들다는 판단
에 '어려워도 해보자' 쪽으로 마음을 굳혔다. 그
리고는 똑똑 대형서점의 문을 두드렸다

①대형서점 계약하기

　대형서점 첫 화면 하단에 보면 출판사나 거래처를 위한 방이 표시돼 있다. 그것도 찾기 어려우면 고객센터에 전화를 해보는 것도 방법이 될 것이다.

　무엇이든 솔직한게 최고라는 생각에 '신생 출판사인데 귀사에 책을 납품하고 싶습니다. 어떻게 하는지요'라는 메일을 담당 부서에 보내면 하루, 이틀이면 보통 답이 와서 과정을 가르쳐 준다. 그들이 보낸 메일을 휘뚜루마뚜루 읽고

재질문을 하는 건 실례라고 할 정도로 첫 답 메일에 거의 모든 루트며 가이드라인이 제시돼 있다.

한번은 아무리 찾아도 내가 원하는 부분이 누락된 거 같아서 담당자에게 메일로 물었더니 짜증을 내던 기억이 있다.

그렇게 해서 교보, yes24, 알라딘, 이렇게 세 군데 메이저와 어찌어찌 전자서명 끝에 계약을 하였다. 이젠 그들의 파트너사 등록 창에 내가 이북스타일리스트로 만든 e북을 올려서 승인만 나면 되었다.

②첫 책이 뜨던 순간

등록 창은 대부분 알기 쉽게 기재돼있어 큰 어려움 없이 등록을 할 수 있었다. 하지만 자세히 보아야 할 부분이 있다. 내가 쓰는 이북스타일리스트가 epub2인지 epub3인지 알 수가 없어 때려잡기로 2를 선택했는데 결과는 맞았다. 참고로 해외사이트는 3버전을 많이 쓴다고 한다. 그리고 비교적 간단하다는 pdf는 이제 거의 안 쓰는 추세라고 하니 참고하기 바란다.

문제가 하나 있었다. 바로 교보 등록 창이었다. 다른 두 곳에는 그냥 올리면 되는데 교보는 오류검사과정이 있다. 그런데 그 오류라는 게 사실 별 게 아닌데도 에러로 뜬다. 어떤때는 표지에 '표지'라는 목차 항목이 없다고 오류를 내서 <표지>라고 쓰기도 했다. 아무튼 교보는 최고 메이저답게 조금 까탈스러운 부분이 있다. 그래도 고치라는대로 고치면 등록이 된다.

이제 등록을 했으니 오늘 뜨나? 내일 뜨나? 성질 급한 나는 주말 내내 계속 유통사 판매창과 포털 검색을 해대며 조바심을 냈다. 그리고는 주말을 넘기자 하나 둘 내 책이 뜨기 시작

하였다. 첫 책은 아마 yes24였던 거 같은데, '와 내책이 떴어 메이저에!'라는 생각에 하마터면 까무러칠뻔하였다. (사실 이 느낌은 지금도 여전하다), 그와 동시에 이제는 작품이 내 손을 떠났다는 사실을 인정해야 했다.

그렇게 세 군데 메이저와의 계약, 등록, 판매 창을 띄우고 나니, 밀리의 서재, 북큐브 등의 플랫폼이 떠올라 추가로 계약 타진을 해서 결국 다 체결을 하였다. 조금 빠르고 늦는 차이는 있어도 등록된 책은 죄다 띄웠다. 그 점 여전히 고맙고 감개무량하다.

요즘은 '선물하기'기능들이 죄다 있어서 나는 첫책 <응언의 사랑>을 몇 군데 선물로 보냈다. 고맙게도 거의 당일 모두 열어서 다운을 받아주었다. 읽었는지는 모르겠지만...

6. 종이책은 유통대행사에서

전자책은 이렇게 하나하나 내 손을 거쳐 유통사와 계약을 해서 등록, 승인, 판매까지 하게 되었는데 문제는 포기하고 있던 종이책에 대한 아쉬움이 남았다는 것이다. 이걸 해결할 방법이 없나, 하고 웹을 뒤지다 유통대행사 관련 글들이 있어 읽어보았다. 그리고 그중에서 나는 부크크를 일단 선택하였다. 무료제작에 pod방식으로 판매하고 , 그래서 수수료가 좀 세긴 해도 그래도 책 한권에 돈 1000은 드는 일반적 종이책제작을 할 수 없는 환경에서는 대안으로 괜찮다는 생각이 들었다.

①부크크

난 뭐든 대강 보는 습관이 있다. 꼼꼼하지가

못하고 덜렁대고 귀찮은 건 패스하고 뭐 그런 성향이 있는데 책을 만드는 데는 아주 안 좋은 습관이다. 고쳐야 할 부분이다.

부크크 양식에 맞춰 원고를 준비하고 이제 표지만 남은 단계에서 가이드라인을 제대로 읽지 않고 그냥 전자책 표지로 승인요청을 하는 희대의 사고를 쳤다. 결과는 당연히 반려였고 그래도 완전 묵살하지는 않아 에러난 부분을 조목조목 메일로 알려줘서 수정할 기회를 주었다. 그렇게 다시 차근차근 표지 부분을 수정하고 규격에 맞췄는데 이번에는 해상도에서 걸렸고 isbn 바코드가 선명하지 않다는 지적을 받았다.

부크크를 처음 이용하는 사람들의 태반이 여기서 걸리는 거 같다. 해서, 미리캔버스를 쓰는 나는 해상도를 높이기 위해 '인쇄'에서 jpg로 다운로드를 했고 부크크의 요청대로 isbn 파일 자체를 수정 메일에 첨부했다. 그랬는데도 해상도

가 안된다고 해서, 더는 못하니 알아서 하라고
했더니 그 정도에서 승인이 났다. 후에 완성본
을 받아보았는데 육안으로는 크게 흠은 없는
것 같았다.

이렇게 해서 나는 비록 한 번에 수백 부를 찍는 보편적 형식은 아니지만 pod 방식의 종이책을 낼 수 있었고 나중에 부크크 서점을 둘러보다보니 나같은 소규모 출판사들이 꽤 들어와 있는 걸 알게 되엇다. 내 자체의 인쇄와 물류센터를 갖기 전까지는 아마도 계속 이용할 거 같다.

②종이책의 존재감

내 생각에 머지 않은 시간에 종이책은 퇴화되거나 소멸되고 전자책의 시대가 올 것같다. 21세기는 다분히 디지털 시대다. 그런 만큼 디지털 세계는 인간의 삶 깊숙이 스며들고 지배하게 될 것이다.

예로 종이책 한 권을 주문해서 읽기까지를 생각해보자. 일단, 값이 전자책보다 비싸고 아무리 빨라도 최소 하루는 기다려야 한다.

　이런 속도감과 현대성에 기인해 나는 전자책 위주로 나간다고 큰소리를 뻥뻥 쳤지만 내가 낸 종이책을 부크크 서점에서 주문해 처음 받던 순간의 그 오묘한 느낌은 또 달랐다.

　처음이라 편집이 엉성하고 페이지 수도 기재 돼있지 않았지만 무언가 '손에 잡힌다는' 그 사실만으로도 가슴이 벅찼다. 그렇게 나는 첫 책 <응언의 사랑>을 받아들었고 책장을 넘기다가 혹시 오탈자라도 무더기로 나오면 어쩌나 하고 들여다보지도 못했던 기억이 난다. 이후, 표지 며 글체 조정을 해서 수정을 하긴 하였지만...

　종이책의 존재감은 이렇게 남달랐다. 빠르고 간편한 전자책이 줄 수 없는 확실한 느낌, 그런 것이었다. '내가 무엇을 해냈다'는 분명한 증거 같은?

　이렇게 종이책의 보람을 처음 맛본 뒤 이후

책들은 전자/종이책을 동시에 발간하기로 마음 먹었고 여태 그래 오고 있다. 아직도 가끔은 수정이나 보완 요청을 받지만 그러려니 하고 군말 않고 한다. 그리고는 두권쯤 되면 주문을 한다. 국립중앙도서관 납본만 해도 두 권이고 그외에 나중에 있을 작가 컨택 때 필요하고 그래도 명색이 출판산데 오너도 몇 권 정도는 소장을 해야 하지 않는가?

그렇게 해서 지금 내 책상 위는 내가 만든 종이책들로 수북이 산을 이루고 있다

7. 끝난 게 아니다!

이렇게 각고? 끝에 원고를 준비하고 고통의 e북을 만들고 종이책 유통사와 거래를 터서 대형서점에 깔리게 한다고 끝난 게 아니다.

한참 정신없이 몰아친 다음에 문득 드는 생각, '내가 이걸 왜 했더라?'

돈. 돈벌기 위해서. 돈 애기는 좀 미루기로 한다. 고맙게도 isbn을 꼬박꼬박 발행해준 국립중앙도서관 납본 절차가 남아있다.

① 납본

흔히들 말한다. 국립중앙도서관에 납본하면 '가문의 영광'이라고. 하지만 이 영광 두 번 누리려면 잔신경이 다 망가진다는 걸 알고나 하는 애긴지...

아무튼 책을 제작해서 서점에 납품을 했으면 그 다음엔 꾸물거리지 말고 곧바로 납본을 해야한다. 나중에 하지 뭐, 이러다 과로로 쓰러질 수 있으므로...

처음 해보는 일은 누구나 헤맨다. 더군다나 외계어 같은 관의 용어들을 이해하려면 다분히 시간이 걸린다. 대강 알아서는 안되고 구석 구석 다 이해를 해야하는 게 그것들이다.

그러나 몇 번 헤매고 나면 그것도 일종의 '기능'인지라 점점 숙련돼가는 자신을 발견하게 된다. 문제는 그 지점까지가 말할 수 없이 귀찮다는 것이지만...

납본은 전자/종이책으로 구분해서 하게 돼 있고 주의할 것은 종이책의 경우, 도서관 주소로 책을 보내더라도 전자계산서상 거래처는 도서관이 아니라 <대한출판문화협회>라는 것이다. 관의 언어나 문장엔 이의를 제기해도 소용 없다. 하라면 해야 한다. 속된말로 까라면 까는 것이다.　이부분, '서지정보유통지원시스템' 납본 창에 기재돼있다.

　전자/종이 각각 2부씩 납본하게 돼 있는데 그중 하나는 원하면 가격보상을 받을 수가 있다. 물론 그에 따른 서류가 좀 늘어나긴 하지만...

　그래도 '가문의 영광'인 국립도서관 납본이니 머리를 싸매고라도 해야 한다. '왜요?'라고 묻는 게 허용되지 않는 게 이른바 '국립'이다. 이렇게 쓰니까 굉장히 난해하게 느껴질 수 있지만 그런 건 아니고 다만 그 순간만은 꼼꼼할 필요가 있다는 얘기다.

② 매출, 내 이럴 줄!

책 내고 납본까지 하고 나면 이제 좀 쉬고 싶지만 그게 또 안되는 게 매월 초면 거래처 즉 서점들에서 전자계산서 발행하라고 메일이 날아온다. 많이 귀찮아도 알림 메일을 받는 게 행복한 것은 당연하다. 한 권이라도 팔렸다는 것이니.

전자계산서를 제때 발행들을 안하다 보니 '역발행'까지 생겨나서 그냥 특정 사이트 들어가서 클릭 몇 번 해주면 끝나게 해주는 곳도 있다. 문제는 그 사이트 자체가 유료라는 것! 물론 대형서점은 자체에서 무료 설정을 해놓은 곳도 있지만, 예로 매출이 2만원이 났는데 유료

사이트는 매월 그 반 정도를 내야 한다.

첫달엔 어리바리 , '발행' 자체에 온 신경이 쓰여 유료고 무료고 따질 계제가 아니었지만 두 번째는 팝업창을 읽는 여유도 생기고 해서 읽어보고는 '차라리 홈텍스 정발행이 낫다'라는 결론에 이르러 해당 유통사에 정발행 하겠다고 했더니 그러라고 양해를 해주었다.

홈텍스 애기는 조금 뒤로 미루고, 매출 이야기를 하자면 나의 경우, 1월 하순이 다 돼서 처음 한 두 권을 냈기에 정말 보잘것없는 매출이 발생했다. 우스갯소리로 '단팥빵 몇 개 사 먹으면 없는' 금액이었지만 출판사로 떼돈 벌겠다고 시작한 것도 아니고 해서 다음 달을 기약하기로 했다.

어느 책에선가 읽었는데 신생 출판사 10곳 중 3곳만이 1년에 한 권이라도 낼 수 있고 나머지는 폐업, 그리고 그 3곳에 들었어도 계속 영업을 해나가는 곳은 거기서 또 몇 프로...

어찌 보면 처참한 게 이 출판시장이라 할 수 있다. 앞서 출판업을 경험해본 어느 선배의 말을 빌리자면, 한 3년은 예열기간이라고 생각하라고 한다. 운과 재능이 모자라면 끈기와 인내라도 있어야 한다는 뜻이다.

이렇게 나의 첫 달 매출은 보잘 것 없었지만 그 다음 달엔 그래도 한 두권이 선방을 해서 두배 넘게 수익이 불어났다. 그래 봐야 케익 몇 개 사 먹으면 없어질 돈이지만 그게 또 재밌고

소소한 즐거움을 주었다. 어린 화초에 물주는 기분이랄까? 이게 언제 자라서 큰 나무가 되나, 하면서도 작아서 더 소중하고 소소해서 더 애틋한 그런 느낌.

③ 홈텍스 정산

좀 전에도 언급했듯이 매월 초면 유통사들이 매출액을 알려주면서 전자계산서 발행하라고 난리를 친다. 역 발행은 돈들어서 하기가 무서우니 소액매출자들은 그 무서운 홈텍스를 들어가서 정 발행을 해야 한다.

나의 경우, 홈텍스를 한 번에 통과한 적이 없다. 분명 어제 되던 게 오늘은 안 된다고 뜨고 업데이트 하라, 뭐하라, 주문이 많은 곳이 홈텍스다.

나는 개인금융인증서를 써서 로그인, 그 단계에서 상단 버튼 클릭, 사업자로 전환해서 전자계산서를 발행한다.

홈텍스를 하루 종일 보고 있으면 열에 아홉은 미쳐버린다. 그러니 볼일만 후딱 보고 나오는게 상책인데...

처음엔 회계나 세금 정산을 아는 사람의 도움을 받을 수밖에 없다. 전자계선서를 발행하려면 일단은 유통사들의 사업자등록증을 출력해놔야 하고, 정산 담당자 이메일을 알아야 한다. 매우 귀찮고 번거롭지만 반드시 해야 하는 일이다.

내 경우, 지인 찬스를 써서 그나마 수월하게 정산을 했는데 한 달 후에 또 하려니 가물가물했다. 그래도 사업자등록번호를 넣으면 자동으로 거래처 주소나 담당자 이메일이 떠서 할 때마다 새로 기재하는 불편함은 없지만 만약의 경우, 주소니, 담당자 이메일이 바뀐 않았나 확인을 하는 꼼꼼함도 가끔은 필요하다.

요약하면 유통사가 보내준 매출 내역을 내가

확인해주는 정도의 과정이다. 그러면 e북의 경우 매달 25일 일제히 내 사업자통장에 그들이 고지한 금액이 입금된다. 유통사에 따라 25일이 결제일이 아닌 경우도 있다. 그래도 매출이 났는데 돈이 안 들어오는 경우는 없다.. 그게 허용되는 세상도 아니고.

8. 맺으며

잔고가 바닥나서 창업지원금을 노리고 '골라 잡는 식'으로 시작한 출판이지만 이제는 어느 정도 애착도 가고 수익으로 단팥빵에 제로 콜라 사 먹는 맛도 쏠쏠하고 제법 적응이 되었다.

큰돈을 벌고 싶다면 이 바닥은 아니다. 번개 맞을 확률의 '베스트셀러'를 꿈꾼다면 그것도 아니라고 본다.

책이 좋아야 한다. 변함없는 사랑과 애정이란 게 존재하는지는 모르지만 그래도 책에 대한 기억과 추억, 책벌레를 감수하면서도 누렇게 변한 고서를 버리지 못하는 조금은 구질스러운 구석이 있어야 책 장사를 할 수 있다.

띄어쓰기, 맞춤법에 너무 목을 매도 할 수 없는 게 출판이다. 해당 전문가를 직원으로 두기 전까진 그냥 막 틀릴 용기가 있는 사람, 그런 부분 지적받아도 하하 웃어넘길 수 있는 뻔

뻔한 낯짝을 가진 사람이 책을 낼 수 있다면 과장된 걸까? 요즘은 맞춤법, 띄어쓰기 검사 시스템도 있지만, 그것도 다 믿을 건 못된다. 그러니 아무래도 틀릴 수밖에...

한번은 메이저 출판사의 띄어쓰기를 꼼꼼히 본적이 있는데, 문법이나 품사에 얽매이지 않는다는 걸 알았다. 언어는 변하므로 그 쓰임도 시간에 따라 변해야 한다. 표준문법에 연연하지 않고 붙이는게 자연스러우면 붙이고 띄는 게 나으면 띄운 그들의 편집을 보면서 조금은 이런 '틀'에서 자유로워질 필요가 있다는 느낌을 받았다.

일 자체를 즐기면서 돈도 많이 번다면 더 할 나위 없이 좋겠지만, 그런 게 세상 어디에 존재하는지조차 나는 모르겠다 . 단지, 생의 어느 길목에서 빼꼼 고개를 내미는 나의 반쪽 같은 그런 친구를 만나면 그의 손을 잡고 함께 가는

게   속 편하지 않나 싶은 게 나의 생각이다.

'

이 짓'을 언제까지 얼마나 벌고 또 얼마나 망하고 접을지는 모르지만, 하는 동안은 실컷 욕먹을 준비 돼 있고 헤맬 준비도 돼 있다. 우리 삶에서 헤매임, 방황이 없다면 그 어떤 성공도 이루어낼 수 없다. 길에서 길로 이어진다지만 곧게 뻗은 길만이 있는 건 아니므로... 길 아닌 길도 갈 마음의 준비가 돼 있다면 한번 쯤 시도해볼 만한 일이 책 장사고 출판이라는 업종이 아닌가 하면서 이 글을 끝맺기로 한다.

어리바리 나의 출판일기
－창업지원금에서 홈텍스 정산까지

발　행 | 2024.5.15
저　자 | 박순영
펴낸이 | 로맹
펴낸곳 | 로맹
출판사등록 | 2023.12.14
주　소 | 서울특별시 성북구 보국문로 30길15
이메일 | jill99@daum.net

ISBN | 979-11-93896-07-5
정가 | 9300원
www.romainpublish.modoo.at